H-81
#53

101 RECETTES DE POULET

ANNULÉ/
CANCELLED

Ventes aux libraires :

PARIS : 4, rue de Fleurus. Tél. 548 40 92
BRUXELLES : rue Defacqz 21. Tél. 538 69 73

Collection dirigée par

R. DURUISSEAU

101 Recettes de Poulet

BIBLIOTHÈQUE PUBLIQUE
DU CANTON
D'ALFRED ET PLANTAGENET
CURRAN

uni-oyez

PARIS-BRUXELLES

641.665
C397
091087

ISBN : 2-8030-0016-4
Maquette de la couverture : Christian
Illustrations : A. Zwaan
Textes : T. Donskoy

© 1978 UNI-OYEZ s.a., rue Defacqz 21, 1050 Bruxelles
D/1978/2581/16
Imprimé en Belgique par Smits, 2200 Wommelgem

Avant-propos

Dans le monde de l'alimentation comme dans le domaine culinaire, rien de plus universel que le poulet. Et, chose caractéristique, chaque pays se vante de produire les meilleurs spécimens de cette chère si mondialement appréciée. Les Français disent merveilles de leurs poulets de Bresse ou de Houdan; les Belges, des poulets de Bruxelles, et les Néerlandais, de leur « Hollandse kip » dont la renommée s'étend à l'Europe entière.

Quant au domaine culinaire, quoi de plus dominical que le poulet? Depuis que le bon roi Henri IV a décrété que ses sujets devaient « avoir chaque dimanche la poule au pot » (il y a quatre siècles de cela), nos ancêtres et nous-mêmes avons toujours tenu à observer cette consigne; et même, à notre époque, il arrive fréquemment que le poulet figure également à notre menu, tel ou tel jour de la semaine.

Dans le présent ouvrage, nous aurions voulu rassembler toutes les recettes de poulet existant dans le monde. En effet, on peut trouver du poulet partout; mais, dans chaque pays, on fait de ce mets des plats plus ou moins nationaux. Or, nous nous étions d'emblée proposé de présenter ici *101 recettes de poulet* — pas davantage, mais pas moins. Dès lors, nous nous sommes vue contrainte d'opérer une sélection très sévère et de nous limiter aux procédés qui nous ont paru les plus appétissantes. Peut-être le lecteur — ou la lectrice — trouvera-t-il (ou -elle) que notre choix n'a pas toujours été très heureux... Qu'on veuille bien nous excuser, l'erreur est chose humaine.

Nous voulons croire cependant que nos lecteurs et lectrices se plairont à préparer le poulet suivant une de nos recettes, à l'intention de leurs proches et de leurs hôtes. Mais attention à cette dernière catégorie de convives! Il y a, parmi eux, ceux qui — sans être invités ni attendus — se présentent inopinément et, comme par hasard, à l'heure même où vous vous mettez à table. Il y a ceux aussi qui, comme pour une « surprise party » s'amènent chez vous porteurs d'un poulet — cru — et s'en remettent à la maîtresse de maison pour préparer et assaisonner la malencontreuse volaille.

Dans ces deux cas, à vous la corvée; à vous aussi de trouver la parade efficace pour couper court à ces plaisanteries d'un goût discutable.

Quelques mots au sujet du poulet

Le poulet à rôtir:
Pour l'élevage de poulets à rôtir on apprécie surtout certaines races qui ont des qualités bien déterminées : croissance rapide, poitrine et pattes charnues, peu de graisse. Ces poulets sont abattus lorsqu'ils atteignent l'âge de sept à huit semaines. Nettoyés, ils pèsent 0,800 à 1,300 kg.

La poularde:
La poularde est un poulet à rôtir qui, nettoyé, pèse plus de 1,200 kg.

La poule:
La poule pondeuse, que l'on abat lorsqu'elle a terminé sa période de production. Elle a généralement de dix-huit à vingt mois.

Les abattis:
Les parties de la poule que l'on utilise surtout pour préparer un bouillon, un ragoût, etc.

Les morceaux de poulet:
Il est toujours possible d'acheter des morceaux séparés, telles les cuisses, la poitrine (le « blanc » de poulet), etc.

Ingrédients

Vetsin:
Poudre aromatique chinoise (glutamate monosodique).

Macle:
Châtaigne d'eau (en vente dans les magasins d'épicerie fine).

Lait de coco:
Noix de coco râpée sur laquelle on verse de l'eau bouillante de façon à couvrir la masse;

ensuite, on la laisse refroidir et on passe le liquide qui a un aspect laiteux.

La mesure « tasse » que l'on trouve dans de nombreuses recettes = 1 tasse américaine = 2,33 dl.

Toutes les recettes sont prévues pour quatre personnes, sauf indication contraire.

Les potages

Rien n'est meilleur que le potage pour nous mettre en appétit en vue d'un repas savoureux.
Surtout en hiver, ne privez pas votre famille ni vos hôtes de ces soupes délicieuses.

Mais ne vous contentez pas toujours de servir le traditionnel bouillon de poulet. Voici quelques suggestions! Bon appétit!

1. Potage à la reine (France)

3 cuillers à soupe de beurre ou de margarine
3 cuillers à soupe d'oignons émincés
35 g de farine
1 l de bouillon de poule
1/2 tasse de chair de poulet découpée en petits morceaux

Faites revenir les oignons dans le beurre. Ajoutez la farine et ensuite, tout en remuant, le bouillon. Lorsque la masse se met à bouillir, ajoutez-y le poulet et laissez mijoter durant dix minutes.

2. Potage lié mexicain

60 g de beurre ou de margarine
60 g d'oignons émincés
30 g de farine
3,75 dl de bouillon de poule
3,75 dl de lait
240 g de carottes râpées
120 g de poule bouillie découpée en tout petits morceaux
2 cuillers à soupe de persil haché
sel et poivre

Faites revenir les oignons dans le beurre durant cinq minutes, de façon qu'ils soient tendres sans être bruns. Retirez la casserole du feu et, tout en remuant, ajoutez successivement la farine, le bouillon et le lait. Remettez la casserole sur le feu et amenez à ébullition. Ajoutez à présent les carottes et le poulet. Assaisonnez et saupoudrez de persil.

3. **Potage de poule au curry** (Etats-Unis)

Si vous ne disposez que de peu de temps, mais que vous désiriez tout de même servir un potage un peu spécial, faites donc l'expérience suivante:

1 boîte de bouillon de poule concentré
1/2 boîte de lait
0,500 l d'eau
2 cuillers à café de curry
2 cuillers à soupe d'oignons finement hachés
2 cuillers à soupe d'amandes écrasées
croûtons, enduits d'ail et frits

Allongez le bouillon avec une demi-boîte d'eau et une demi-boîte de lait. Faites revenir les oignons ainsi que les amandes dans le beurre jusqu'à ce qu'ils soient dorés. Ajoutez-les ensuite au potage en même temps que le curry et portez à ébullition. Laissez frémir durant quelques minutes et servez avec les croûtons.

4. **Potage de maïs avec poulet** (Chine)

1 boîte de maïs
1/2 cuiller à café de vetsin
1 cuiller à café de sherry sec ou de cognac
225 g de blanc de poulet
1 œuf
un petit morceau de gingembre
1 l d'eau
25 g de jambon cru
fécule de maïs
sel et poivre

Préparez un bouillon avec les os du poulet et un morceau de gingembre. Passez le bouillon et ajoutez le maïs, le vetsin ainsi que le cognac ou le sherry. Découpez le blanc en très fines lanières, roulez les lanières dans la fécule de maïs et ajoutez-les au bouillon. Battez un œuf et ajoutez-le également au bouillon. Assaisonnez et servez le potage, garni de fines lanières de jambon.

5. **Bouillon de poule lié et refroidi** (Etats-Unis)

1 boîte de bouillon de poule concentré
1 boîte de lait frais
6 cuillers à soupe de crème sure

Mélangez tous les ingrédients, sauf la crème sure, et portez à ébullition, tout en remuant. Versez le potage dans un plat, couvrez-le et laissez refroidir. Mélangez-y la crème sure et mettez le plat dans le réfrigérateur. Servez le

persil ou ciboulette
un peu de tabasco
une pincée de vetsin
1/4 de cuiller à café de sel de céleri
paprika
sel et poivre

potage dans des tasses et saupoudrez de paprika et de persil ou de ciboulette.

6. **Bouillon de poule espagnol** (Sopa Real)

100 g de jambon cru découpé très finement
blanc de poulet bouilli et découpé en petits morceaux
1 verre à vin de sherry
2 œufs durs hachés grossièrement
1 l de bouillon de poule
sel et poivre

pour les croûtons:
4 tranches de pain blanc sans croûtes
2 cuillers à soupe d'huile d'olive
2 gousses d'ail râpées

Disposez le jambon, le poulet et les œufs dans une terrine. Portez le bouillon à ébullition, ajoutez-y le sherry, un peu de sel et de poivre et versez le liquide dans la terrine. Préparez vos croûtons. Découpez le pain en carrés, faites chauffer l'huile d'olive et ajoutez-y l'ail râpé. Lorsque l'ail commence à se dorer, mettez-y les morceaux de pain et laissez frire jusqu'à ce qu'ils soient dorés et croquants. Servez les croûtons avec la soupe.

7. **Bouillon de poule moldave**

1,250 kg d'abattis
1 carotte
1 oignon
quelques branches de céleri
0,500 kg de pommes de terre
2 l d'eau
1 cuiller à soupe de beurre

Mettez le poulet dans l'eau et portez à ébullition. Découpez l'oignon, le céleri et la carotte en petits morceaux et faites-les revenir dans le beurre. Ajoutez le tout au poulet avec le vinaigre et le sel; laissez cuire durant deux heures. Ensuite vous passez le bouillon, vous désossez le poulet et vous découpez la chair en petits morceaux. Découpez les pommes de terre en dés et faites-les cuire dans le bouillon.

2 cuillers à soupe de crème sure
1 cuiller à dessert de vinaigre
une pincée de poivre de Cayenne
1 cuiller à café de sel
branches de persil ou fenouil

Ajoutez à présent le poulet, la crème sure, le poivre de Cayenne. Servez en garnissant de persil haché ou de fenouil.

8. **Bouillon de poule aux boulettes de foie** (Israël)

1 l de bouillon de poule
3 cuillers à soupe d'oignons finement hachés
2 cuillers à café de beurre fondu
250 g de foie de poulet
2 cuillers à soupe de fécule de pommes de terre
1 jaune d'œuf
1 blanc d'œuf battu en neige
1 cuiller à café de sel
une pincée de poivre

Rissolez l'oignon dans le beurre. Passez les foies et l'oignon dans le hache-viande. Mélangez-y le sel, le poivre, la fécule de pommes de terre et le jaune d'œuf. Incorporez-y ensuite le blanc d'œuf battu en neige. Amenez le bouillon à ébullition. A l'aide d'une cuiller à café, formez de petites boulettes que vous laissez glisser dans le bouillon. Faites encore cuire durant quinze minutes, jusqu'à ce que les boulettes montent à la surface. Parsemez alors de blanc d'œuf la surface du mélange.

9. **Bouillon clair Marguerite** (Turquie) (se mange froid)

1,250 l de bouillon de poule dégraissé
1,25 dl de crème fraîche
1,25 dl de marsala
12 pointes d'asperges cuites
sel et poivre

Assaisonnez le bouillon et ajoutez-y le marsala. Mettez le bouillon dans le réfrigérateur durant deux heures.
Servez dans des tasses à bouillon et garnissez de crème fraîche battue en neige et de pointes d'asperges découpées en petits morceaux.

10. Bouillon de poule japonais

1 poitrine de poulet désossée
1 l de bouillon de poule
75 g de champignons découpés
2 cuillers à café de sauce au soja
50 g de vermicelle extrêmement fin
4 rondelles de citron

Découpez la chair de poulet en fines lanières, ajoutez-les au bouillon et amenez à ébullition. Ajoutez ensuite le vermicelle (pâtes cheveux d'anges).
Après cinq minutes de cuisson, vous ajoutez les champignons et vous laissez encore cuire durant cinq minutes. Ajoutez le soja et une minute après, servez la soupe, en garnissant chaque assiette d'une rondelle de citron.

11. Bouillon de poule chinois

1 l de bouillon de poule
1/2 tasse de chair de poule découpée en morceaux
4 châtaignes d'eau hachées grossièrement
2 cuillers à café de fécule de maïs
3 cuillers à soupe d'eau
2 œufs battus
un peu de ciboulette hachée

Amenez à ébullition, le bouillon avec les châtaignes et le poulet. Allongez la fécule avec de l'eau et mélangez-la au bouillon. Mélangez-y ensuite les œufs battus, jusqu'à ce qu'ils forment comme des serpentins. Servez le bouillon dans une terrine et saupoudrez d'un peu de ciboulette.

Foies de poulet

Lorsqu'on commence à apprendre tout ce que l'on peut réaliser avec des foies de poulet, on ne peut s'empêcher de s'étonner de tout ce que l'art culinaire offre comme possibilités. Que ce soit comme amuse-gueule, comme hors-d'œuvre ou comme plat principal, le succès est toujours garanti. Actuellement, on peut acheter les foies de poulet au poids, ce qui permet de réaliser cette variété de recettes.

12. Amuse-gueule à l'anglaise

10 foies crus de poulet
20 tranches de lard

Coupez les foies en deux et enroulez chaque moitié dans une tranche de lard. Fixez la tranche de lard au moyen d'un bâtonnet à cocktail. Disposez-les sur la grille de votre four, sous le gril, et mettez le four sur une position moyenne. Grillez jusqu'à ce que le lard soit croquant. Vous pouvez éventuellement cuire les foies dans une poêle.

13. Pâté de foie de poulet à la danoise

0,500 kg de foies de poulet
250 g de fines tranches de lard
8 filets d'anchois
1 oignon
1 1/2 cuiller à soupe de beurre
2 1/2 cuillers à soupe de farine
3 dl de lait concentré
2 œufs
2 cuillers à café de sel
1/2 cuiller à café de poivre

Lavez les foies, séchez-les et découpez-les en petits morceaux; passez-les cinq fois dans le hache-viande, la dernière fois en y ajoutant les filets d'anchois. Passez les tranches de lard une seule fois dans le hache-viande. Faites fondre le beurre et mélangez-y la farine. En remuant, ajoutez peu à peu le lait concentré et ensuite les tranches de lard moulues. Laissez cuire à petit feu durant cinq minutes. Retirez le poêlon du feu et ajoutez-y le mélange de foie et d'anchois, ensuite, un par un, les œufs, et pour terminer, le sel, le poivre, les clous de girofle, le sherry ou le cognac. Si vous aimez l'ail, ajoutez-en une gousse râpée. Versez le

1/2 cuiller à café de clous de girofle pilés
2 cuillers à soupe de sherry ou de cognac
1 gousse d'ail

mélange dans un moule à cake que vous aurez graissé au préalable et plongez le moule dans un bain-marie d'eau. Mettez dans le four, à une température de 130 °C. Laissez cuire durant environ une heure et demie. Ne retirez le pâté du moule que quand il est bien refroidi. Découpez-le en tranches et garnissez de cornichons.

14. **Pâté de foie de poulet à la russe**

0,500 kg de foies de poulet
150 g de beurre
1 petit oignon finement haché
1 œuf dur
1/2 cuiller à café de poivre
1/4 de cuiller à café de noix muscade
sel

Découpez les foies en petits morceaux et faites-les revenir dans le beurre avec les oignons.
Ne les laissez pas cuire durant plus de dix minutes, car ils risqueraient d'être trop secs. Passez-les par trois fois dans le hache-viande. Passez-les, en même temps que l'oignon, à travers un tamis et mélangez le tout avec le reste de beurre, de façon à faire un pâté. Assaisonnez et mettez le pâté dans un moule à glaçons que vous aurez rincé au préalable.
Lorsque le pâté est froid, vous le retirez du moule en le secouant légèrement. Garnissez d'un œuf dur finement haché.

15. **Foie de poulet couronné de champignons** (Etats-Unis)

0,500 kg de foies de poulet
150 g de champignons
3 tasses de mie de pain blanc
1 cuiller à café de jus d'oignon
1/2 cuiller à café de vetsin
1/2 cuiller à café de sel
1,75 dl de crème fraîche
3 œufs

Mettez les foies et les champignons dans le hache-viande et hachez-les à travers une grille à grands trous. A l'aide d'une fourchette, mélangez-y la mie de pain, le vetsin, le sel, la crème fraîche et ensuite les œufs, d'abord les jaunes battus et puis les blancs battus en neige. Versez le mélange dans un moule graissé en forme de couronne. Mettez ce moule dans un bain-marie, que vous glissez au four à une température de 260 °C. Faites cuire durant trente-cinq à quarante minutes. Retirez du four et laissez reposer durant cinq minutes. Secouez légèrement la couronne pour détacher le pâté que vous servez avec une sauce d'amandes au sherry.

pour la sauce:
3 cuillers à soupe de beurre ou de margarine
1/2 tasse d'amandes pilées
1 1/2 cuiller à soupe de fécule de maïs (maïzena)
4 dl de bouillon concentré
2 cuillers à soupe de persil finement haché
1/2 cuiller à café de vetsin
2 cuillers à soupe de sherry
sel et poivre

Faites dorer les amandes dans le beurre et retirez-les ensuite de la casserole. Mélangez la maïzena au beurre qui reste. En remuant, ajoutez le bouillon et tournez durant deux minutes environ, jusqu'à ce que la sauce devienne lisse et épaisse. Ajoutez ensuite, le persil, le vetsin, le sel, le poivre, le sherry et les amandes.

16. Œufs brouillés aux foies de poulet (France)

0,500 kg de foies de poulet
60 g de beurre
1 gros oignon finement haché
1 feuille de laurier
sel
tabasco
1 cuiller à café de sauce anglaise
6 gros œufs battus
1 cuiller à soupe de persil haché

Rissolez les oignons dans le beurre, jusqu'à ce qu'ils aient un aspect vitreux. Ajoutez la feuille de laurier, les foies de poulet découpés en quatre, le sel et le tabasco. Retirez la feuille de laurier lorsque les foies sont légèrement bruns. Gardez les foies de poulet au chaud dans un plat. Préparez vos œufs brouillés en y mélangeant la sauce anglaise, le sel et le tabasco.
Mettez les œufs sur un toast, en les garnissant de foie et en saupoudrant de persil.

17. Foies et estomacs de poulet (Inde)

0,500 kg de foies et d'estomacs
240 g d'oignons hachés
3 gousses d'ail
120 g de beurre ou de margarine

Coupez les estomacs en deux. Faites dorer les oignons. Ajoutez-y le gingembre et l'ail pressé; rissolez durant cinq minutes. Ajoutez les estomacs, le Chili, du sel et laissez cuire encore durant trois minutes. Ajoutez l'eau et laissez mijoter jusqu'à ce que les

1/2 cuiller à café de poudre de gingembre
1 cuiller à café de Chili
1 cuiller à café de sel
0,500 l d'eau chaude

estomacs soient bien tendres. Ajoutez ensuite les petits foies et laissez cuire le temps nécessaire. Remuez de temps à autre. Servez avec du riz.

Les salades

Rien de tel, en été lorsqu'il fait chaud, qu'une bonne salade de poulet. C'est également un souper excellent. Préparez le plus possible d'avance, de façon à pouvoir vous occuper de vos hôtes.

18. **Salade de foie de poulet** (Etats-Unis)

250 g de foies de poulet
30 g de beurre ou de margarine
2 salades
1 endive frisée
4 échalotes découpées en tranches minces
1/4 de tasse de roquefort ou de bleu danois
2 œufs durs hachés en gros morceaux
sel et poivre

Faites rissoler les foies dans le beurre avec un peu de sel et du poivre. Laissez refroidir et découpez en petits morceaux. Mélangez les foies, les échalotes, le fromage et les œufs à la salade. Versez ensuite la vinaigrette pardessus.

pour la vinaigrette:
3/4 de tasse d'huile
1/4 de tasse de vinaigre
1 cuiller à café de sel
1 cuiller à café de sucre
1 cuiller à café de paprika
1/4 de cuiller à café de poudre de moutarde
un peu de poivre
1/3 de tasse de câpres

Mettez tous les ingrédients dans un bocal, couvrez-le et secouez pour mélanger le tout.

19. **Salade de poulet à l'américaine** (recette de base)

4 cuillers à soupe de bouillon de poule
12 cuillers à soupe de mayonnaise ou de vinaigrette

Prenez un grand bol et mélangez le bouillon à la mayonnaise. Ajoutez-y le poulet, le céleri, les noix, les olives, le sel et le poivre. Disposez sur chaque assiette quelques feuilles de salade et mettez une tomate, que vous

2 1/2 tasses de morceaux de poulet cuit ou grillé
1 1/2 tasse de céleri découpé
1/4 de tasse de noix de pacanier
1/4 de tasse d'olives fourrées, découpées en rondelles
3/4 de cuiller à café de sel
poivre

pour la garniture:
4 tomates
feuilles de salade
mayonnaise ou vinaigrette

découpez en forme de fleur en la divisant presque entièrement en cinq parties. Remplissez de salade de poulet le cœur de la fleur formée en découpant la tomate. Garnissez de mayonnaise ou de vinaigrette.

Variations sur la recette précédente (sans noix de pacanier)

20. **Salade de poulet à l'ananas**

Ajoutez aux ingrédients une tasse d'ananas découpés en morceaux. Formez de petites coupes avec les feuilles de salade que vous remplissez de poulet.

21. **Salade de poulet aux pommes**

Remplacez les deux cuillerées de bouillon de poule par deux cuillerées de jus de citron. Ajoutez une tasse de morceaux de pomme rouge. Servez sur un lit de salade.

22. **Salade de poulet de luxe**

Ajoutez aux ingrédients une tasse et demie de raisins épépinés, une demi-tasse de morceaux d'ananas et une demi-tasse d'amandes grillées et pilées. Servez sur un lit de salade.

23. **Salade de poulet à la danoise**

2 tasses de poulet rôti froid, découpé en petits dés
3 œufs durs
1 cuiller à soupe de vinaigre
1 cuiller à soupe de raifort râpé
5 cuillers à soupe de crème fraîche battue
1 cuiller à soupe de persil finement haché
sel et poivre

Ecrasez les œufs cuits durs et mélangez-les au raifort et au vinaigre. Ajoutez-y la crème fraîche, ainsi que le poulet. Assaisonnez. Versez la salade dans un plat et saupoudrez de persil.

24. **Poulet avec mayonnaise au raifort**
(Danemark), Höns i pepparrotsmajonäs

1 tasse de poulet bouilli
1/2 tasse de céleri-rave
1 tasse de pomme
1 1/2 tasse de mayonnaise, allongée d'une 1/2 tasse de crème fraîche battue
1 cuiller à soupe de moutarde
2 cuillers à soupe de raifort râpé
sel et poivre

pour la garniture:
quelques crevettes
quelques pointes d'asperges

Découpez le poulet, le céleri-rave et la pomme en fines lanières. Mélangez tous les ingrédients et assaisonnez. Mettez le mélange sur un plat et garnissez de crevettes ainsi que de pointes d'asperges.

25. **Salade de poulet aux amandes**
(Israël)

2 tasses de poulet grillé
1 tasse de céleri à côtes
1/3 de tasse d'olives

Découpez le poulet en morceaux, hachez le céleri et découpez les olives en rondelles. Mélangez tous les ingrédients. Servez cette

1/2 tasse d'amandes
1/2 tasse de mayonnaise
1 cuiller à café de sel
2 cuillers à café de vinaigre

salade sur un lit de laitue, garnie de quelques amandes pilées.

26. **Salade de poulet au chou-fleur** (Etats-Unis)

2 tasses de poulet rôti ou bouilli
2 tasses de petits bouquets de chou-fleur cru
2 cuillers à soupe de poivrons
1/4 de tasse d'olives
1/4 de tasse de persil
2 cuillers à soupe de mayonnaise
ou de vinaigrette
1/4 de tasse de sauce au poivre de Cayenne
1 cuiller à café de sel
poivre
feuilles de salade
1 cuiller à soupe de jus de citron

Mélangez les petits morceaux de poulet, le chou-fleur, le poivron haché, les olives hachées et le persil haché. Mélangez à la mayonnaise ou à la vinaigrette du jus de citron, de la sauce au poivre de Cayenne, du sel et du poivre. Versez le mélange sur la salade et remuez bien. Mettez la salade au réfrigérateur. Servez sur des feuilles de salade.

27. **Salade de poulet au riz** (Etats-Unis)

1/2 tasse de riz
1/4 de tasse d'oignon finement haché
1 cuiller à soupe de vinaigre
2 cuillers à soupe d'huile
3/4 de cuiller à café de curry
2 tasses de poulet grillé
1 tasse de céleri haché

Laissez cuire le riz de façon qu'il soit bien sec. A l'aide d'une fourchette, mélangez-y l'oignon, le vinaigre, l'huile et le curry. Laissez reposer dans le réfrigérateur durant quelques heures. Mélangez-y ensuite le poulet découpé en dés, le céleri, le poivron et la vinaigrette. Garnissez avec des morceaux de tomate.

1/4 de tasse de poivron haché
3/4 de tasse de vinaigrette
4 tomates moyennes

28. **Aspic de salade de poulet** (Russie)

1 feuille de gélatine
4 cuillers à soupe d'eau froide
2 dl de bouillon de poule
1/2 cuiller à café de sel
2 cuillers à soupe de jus de citron
un peu de tabasco
12 cuillers à soupe de mayonnaise ou de vinaigrette
1 tasse de poulet grillé ou bouilli
1/2 tasse de concombre
1/4 de tasse de poivron vert
1/4 de tasse de poivron rouge
1 1/2 cuiller à café d'oignon haché
1 endive frisée
mayonnaise ou vinaigrette

Faites dissoudre la gélatine dans l'eau froide et versez-la dans le bouillon chaud. Ajoutez du sel, du citron et du tabasco et laissez refroidir le bouillon jusqu'à ce qu'il s'épaississe. En remuant, ajoutez la mayonnaise ou la vinaigrette, ensuite les morceaux de poulet, le concombre découpé en petits dés, les morceaux de poivron rouge et vert et, pour terminer, l'oignon. Versez dans une couronne et laissez la salade se durcir. Détachez la salade du moule et remplissez le centre de feuilles d'endive. Servez avec de la mayonnaise ou de la vinaigrette.

29. **Salade de poulet chaude** (Etats-Unis)

2 tasses de poulet grillé ou bouilli
1/2 tasse de noisettes hachées en gros morceaux
1 1/2 tasse de céleri
1 tasse de vieux Gouda râpé

Découpez le poulet en fines lanières et mettez-le dans une casserole avec le céleri; ajoutez-y les noisettes, de la mayonnaise ou de la vinaigrette, du sel, les oignons et le jus de citron. Faites cuire sur un petit feu durant cinq à dix minutes, tout en remuant. Coupez les pamplemousses en deux et videz-les. Remplissez-les de salade de poulet. Saupou-

1/2 cuiller à café de sel
1 1/2 cuiller à soupe d'oignons très finement hachés
2 cuillers à soupe de jus de citron
3 pamplemousses moyens
1 tasse de miettes de chips
olives fourrées
persil

drez de fromage et de chips.
Mettez les demi-pamplemousses dans le four très chaud à une température de 225 °C et laissez gratiner durant huit à dix minutes.
Garnissez de rondelles d'olives fourrées ainsi que de persil.

Un peu de tout

Quelques idées disparates pour vos fêtes, parties, noces, etc. Je vous laisse le choix.

30. **Croquettes de poulet** (France)

2,5 dl de restes de poulet
25 g de farine
25 g de beurre
2 dl de lait
1 citron
3 jaunes d'œufs
1 cuiller à soupe de persil haché
1 œuf battu
chapelure
friture
sel et poivre
arôme

Faites une pâte épaisse avec le beurre, la farine et le lait. Assaisonnez en incorporant du sel, du poivre et un peu d'arôme. Ajoutez-y ensuite les morceaux de poulet et le persil. Laissez bouillir durant quelques instants, puis retirez la casserole du feu. Battez les jaunes d'œufs avec le jus de citron. En remuant, ajoutez-y un peu de pâte et versez ce mélange sur le reste de pâte. Gardez le ragoût sur une plaque chauffante durant deux minutes, sans qu'elle ne bouille. Lorsqu'elle est bien épaisse, répandez-la sur un plat et laissez refroidir.
Confectionnez-en des croquettes que vous passez dans l'œuf et ensuite dans la chapelure. Faites-les dorer dans la friture.

31. **Pâté de poulet** (Etats-Unis)

1 tasse de mie de pain
4,5 dl de lait
2 œufs battus
1/2 cuiller à café de sel
1/4 de cuiller à café de poudre de paprika
1 cuiller à café de sauce anglaise
3 tasses de poulet bouilli ou grillé
1/2 tasse de céleri finement haché
1 poivron finement haché
le jus d'un demi-citron

Découpez le poulet en petits morceaux. Mélangez bien tous les ingrédients, versez le mélange dans un moule que vous aurez graissé au préalable et comprimez la masse. Plongez le moule dans un bain-marie. Mettez ce poêlon dans le four durant quarante minutes à une température de 175 °C. Laissez refroidir le pâté de poulet durant dix minutes avant de le détacher du moule.

32. **Biscuits de poulet** (Russie)

1 tasse de poulet bouilli ou grillé, finement haché
1 cuiller à soupe de crème fraîche
2 œufs battus
1/4 de cuiller à café de sel
une pincée de poivre
50 g de beurre ou de margarine
chapelure

Mélangez la crème fraîche, un œuf battu, le sel, le poivre et le poulet. Façonnez de petits biscuits ronds et plats. Passez-les dans l'œuf battu et dans la chapelure et faites-les cuire dans le beurre.

pour la sauce:
2 cuillers à soupe de beurre
2 cuillers à soupe de farine
2,33 dl de lait
1/4 de cuiller à café de sel
une pincée de poivre
1/3 de tasse de céleri finement haché

La sauce se prépare de la façon suivante : Faites fondre le beurre. Mélangez la farine avec le sel et le poivre et ajoutez-la au beurre. En remuant, incorporez peu à peu le lait. Laissez bouillir durant deux minutes et ajoutez le céleri. Versez la sauce sur les biscuits.
Servez avec de la purée et des légumes variés.

33. **Soufflé de poulet**

2 cuillers à soupe de beurre
2 cuillers à soupe de farine
4,25 dl de lait
1/4 de cuiller à café de sel
une pincée de poivre
3 jaunes d'œufs battus
2 tasses de poulet bouilli ou grillé
1 cuiller à soupe de persil haché
3 blancs d'œufs battus
1/2 tasse de miettes de pain rassis

Faites une sauce avec le beurre, la farine, le sel, le poivre et le lait. Ajoutez les miettes de pain et laissez mijoter durant deux heures. Retirez la casserole du feu et ajoutez le poulet finement haché, les jaunes d'œufs bien battus ainsi que le persil. Mélangez les blancs d'œufs à la sauce. Versez celle-ci dans un plat allant au feu que vous aurez graissé au préalable. Mettez le soufflé dans le four à une température de 160 °C. Servez immédiatement.

D91087

34. **Casserole de poulet** (Angleterre)

1 poulet à rôtir de 1,500 kg environ
150 g de champignons
3 tomates
1 cuiller à soupe de persil haché
1 kg de pommes de terre nouvelles
4 tranches de lard fumé
sel et poivre
60 g de beurre

Faites dorer les morceaux de poulet dans le beurre avec le lard coupé en lanières. Versez le tout dans un plat allant au feu et pourvu d'un couvercle. Pelez les tomates, coupez-les en deux et disposez-les autour du poulet, avec les pommes de terre et les champignons coupés en deux.
Saupoudrez de persil, de sel et de poivre. Couvrez le poulet d'une feuille d'aluminium ou d'un morceau de papier gras et mettez le couvercle sur le plat. Glissez-le dans le four à une température de 180 °C. Le poulet sera cuit et tendre en trente-cinq à quarante minutes.

35. **Casserole de poulet et de jambon** (France)

1 oignon finement haché
25 g de beurre
100 g de champignons finement découpés
1 cuiller à café de paprika
1 cuiller à café de sel
1/4 de cuiller à café de noix muscade
2 dl de crème fraîche
7 tranches de blanc d'un poulet bouilli ou grillé
3 tranches de jambon de la même grandeur que le poulet
3 à 4 cuillers à soupe de parmesan râpé

Faites dorer les oignons dans le beurre. Ajoutez ensuite les champignons, le paprika, le sel et la noix muscade. Laissez cuire à petit feu durant quinze minutes. Mettez le mélange dans un plat allant au feu. Disposez par-dessus les tranches de poulet et de jambon et arrosez de crème fraîche. Mettez le plat au four durant dix minutes à une température de 250 °C. Saupourez ensuite de fromage et laissez encore le plat durant quelques minutes dans le four jusqu'à ce que le fromage soit doré.

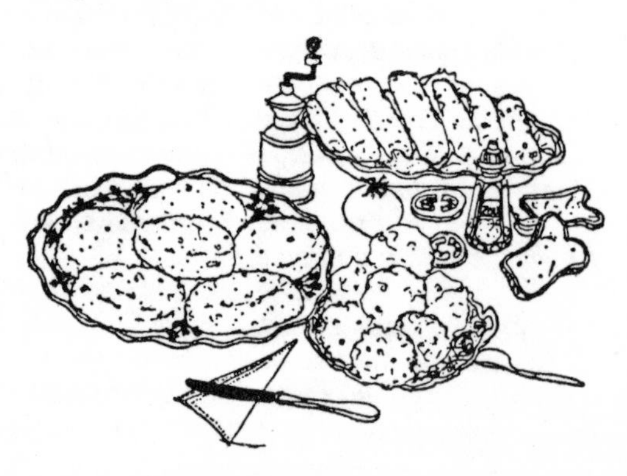

Plats de résistance

Faisons rapidement le tour du monde culinaire, en commençant par la douce France. Bon voyage et bon appétit!

36. **Poulet rôti ambassadrice** (France)

1 poulet à rôtir de 1,500 kg environ
sel et poivre
4 cuillers à soupe de beurre
farine
1 boîte de truffes découpées en tranches
100 g de petits champignons

pour la sauce suprême:
3 cuillers à soupe de beurre
3 cuillers à soupe de farine
2 cuillers à soupe de crème fraîche
2 jaunes d'œufs
sel et poivre

Découpez le poulet en morceaux et saupoudrez-les de farine, de sel et de poivre. Faites dorer les morceaux dans le beurre très chaud. Gardez-les au chaud dans un plat. Ajoutez la farine au beurre et versez peu à peu le bouillon, ensuite incorporez-y un peu de sel et du poivre; laissez mijoter la sauce durant dix minutes. Mélangez-y ensuite la crème fraîche. Retirez la casserole du feu et ajoutez les jaunes d'œufs battus. Versez la sauce sur le poulet et garnissez de tranches de truffes et de champignons sautés au beurre.

37. **Poulet Marengo** (France)

2 poulets de 1 kg
4 cuillers à soupe d'huile d'olive
2 échalotes
1 gousse d'ail
6 tomates moyennes
150 g de champignons découpés
1,25 dl de vin blanc sec
1 cuiller à soupe de cognac

Découpez les poulets en morceaux et faites-les dorer de tous les côtés dans l'huile d'olive. Laissez cuire à petit feu durant dix minutes. Retirez les morceaux de la casserole et ajoutez à l'huile, les échalote, l'ail, les tomates et les champignons. Faites cuire jusqu'à ce que les champignons soient à point. Ajoutez le vin et le cognac. Laissez bouillir jusqu'à ce que le liquide soit réduit d'un tiers. Ajoutez-y ensuite les morceaux de poulet et laissez encore cuire à petit feu durant quinze minutes.

38. **Coq au vin** (France) (photo 1)

35 g de farine
1 cuiller à café d'aromates
1 gros poulet de 2 kg
60 g de beurre
1 dl de cognac
1 gousse d'ail râpée
1 feuille de laurier
1 tranche de jambon de 1 cm d'épaisseur, découpée en petits dés
une pincée de thym
1 cuiller à soupe de persil haché
12 échalotes
250 g de champignons découpés
2,5 dl de vin blanc sec (Chablis) chauffé
sel
tabasco
1 cuiller à soupe de beurre (si nécessaire)
1 cuiller à soupe de farine (si nécessaire)

Découpez le poulet en huit morceaux et roulez-les dans la farine à laquelle vous aurez mélangé les aromates. Faites dorer les morceaux de poulet dans une grande poêle; le beurre doit être très chaud. Versez le cognac sur le poulet, flambez durant quelques secondes. Lorsque les flammes diminuent, étouffez le feu en mettant le couvercle sur la poêle. Ajoutez le reste des ingrédients (sauf les deux derniers). Remettez le couvercle sur la poêle et laissez mijoter durant quarante-cinq minutes, jusqu'à ce que le poulet soit tendre. Retirez alors la feuille de laurier. Si nécessaire, épaississez la sauce en ajoutant une cuiller à soupe de beurre mélangée à une cuiller à soupe de farine. Servez ce mets très chaud. Il est encore plus savoureux lorsqu'on le prépare la veille et qu'on le réchauffe par la suite.

39. **Poulet à la normande** (France)

1 poulet d'environ 1,500 kg
3,5 dl de cidre
8 cuillers à soupe de crème fraîche
100 g de beurre
150 g de champignons
sel et poivre
farine

Découpez le poulet en morceaux et roulez-les dans la farine additionnée de sel et de poivre. Faites rôtir le poulet sur un feu moyen dans 75 g de beurre. Gardez les morceaux au chaud dans un plat. Coupez les champignons en deux et faites-les cuire dans le reste de beurre. Saupoudrez-les d'un peu de sel et de poivre. Laissez réduire le cidre de moitié et versez-le dans la casserole du poulet. Grattez bien le fond de la casserole, ajoutez la crème fraîche et faites bouillir la sauce durant deux minutes, tout en remuant sans cesse. Versez la sauce sur le poulet.

40. **Poulet à la navarraise** (France)

1 poulet à rôtir de 1,500 kg environ
125 g de jambon
2 cuillers à soupe d'estragon haché
1 tasse de vin blanc
1 tasse de bouillon
sel et poivre
1 cuiller à soupe de farine
3 oignons
3 petites carottes
2 blancs de poireau
125 g de beurre
1 cuiller à soupe de céleri
1 cuiller à soupe de persil

Enduisez de sel et de poivre l'intérieur et l'extérieur du poulet. Préparez un mélange avec la moitié du beurre et l'estragon. Versez ce mélange dans l'abdomen du poulet. Mettez le poulet durant vingt minutes dans le plat à rôtir que vous déposez dans le four très chaud (225 °C). Au préalable, vous aurez mis dans le plat ce qui vous restait de beurre.
Mettez ensuite dans un plat allant au feu le poulet, entouré d'oignons hachés, de carottes, de poireau, de jambon, de persil et de céleri. Saupoudrez encore d'un peu de sel et de poivre. Couvrez le poulet de vin et de bouillon. Laissez mijoter le tout durant quarante-cinq minutes dans un four moyennement chaud (180 °C). Arrosez de temps en temps. Préparez une sauce avec une cuiller à soupe de farine mélangée au reste de beurre du plat à rôtir et au liquide du plat allant au feu. Versez cette sauce sur le poulet et remettez le plat dans le four. Faites encore mijoter durant quinze minutes, jusqu'à ce que le poulet soit bien tendre.

41. **Poulet farci à la provençale** (France)

1 poulet à rôtir d'environ 1,250 à 2 kg
1 foie et 1 estomac de poulet hachés
2 gousses d'ail râpées
1 échalote finement hachée
1 tasse de miettes de pain
4 cuillers à soupe de lait
4 cuillers à soupe de bouillon
3 cuillers à soupe d'huile d'olive
sel et poivre

Faites un mélange du foie et de l'estomac de poulet avec de l'ail, de l'échalote, des miettes de pain, du lait, du bouillon, du persil, une cuiller à soupe d'huile d'olive, de sel et de poivre. Enduisez l'intérieur et l'extérieur du poulet de sel et de poivre et garnissez au moyen du mélange l'intérieur du poulet. Fermez l'intérieur, soit en le cousant soit en utilisant quelques brochettes. Mettez le poulet sur le plat à rôtir et enduisez de beurre le blanc du poulet. Laissez cuire durant trente-cinq minutes dans le four très chaud, à une température de 225 °C. Abaissez ensuite la température à 180 °C et arrosez le poulet de deux cuillers à soupe d'huile d'olive. Faites

60 g de beurre
1 cuiller à café de persil

cuire encore durant vingt à vingt-cinq minutes. Arrosez de temps en temps.

42. **Poulet farci aux raisins** (France)

1 poulet à rôtir de 1,500 à 2 kg
2 oignons finement hachés
175 g de hachis
sel et poivre
paprika
persil
100 g de beurre ou de margarine
400 g de raisins noirs

Faites revenir dans le beurre les oignons assaisonnés de paprika, et attendez jusqu'à ce qu'ils soient vitreux. Mélangez-les ensuite au hachis et ajoutez du persil ainsi que du sel. Garnissez l'intérieur du poulet de ce mélange et s'il reste de la place, ajoutez quelques raisins. Fermez le poulet à l'aide de bâtonnets à cocktail. Enduisez le poulet de sel et de poivre et mettez-le à cuire dans le beurre, jusqu'à ce qu'il soit doré et cuit, ce qui durera environ quarante-cinq minutes à une heure. Quinze minutes avant la fin de la cuisson, ajoutez le reste des raisins. Servez avec des pommes frites.

43. **Poulet bonne femme** (France)

1 poulet d'environ 1,750 kg
250 g de lard découpé en petits dés
30 g de beurre
10 à 15 échalotes
1 kg de petites pommes de terre cuites à moitié

Découpez le poulet en morceaux. Faites revenir le lard dans le beurre. Retirez-le de la casserole et faites cuire à petit feu les morceaux de poulet dans la graisse du lard. Lorsqu'ils sont cuits, retirez-les et cuisez les pommes de terre dans la même graisse. Lorsqu'elles sont à point vous ajoutez les échalotes, le lard et le poulet. Laissez mijoter à petit feu durant quinze minutes.

44. **Fricassée de poulet** (Espagne)

1 poulet d'environ 1,500 kg
70 g de beurre
60 g de farine
1 l d'eau bouillante
1 oignon piqué de clous de girofle
persil

Découpez le poulet en morceaux que vous enduisez de sel et de poivre. Faites rôtir le poulet dans le beurre durant dix minutes environ, sans toutefois laisser brunir les morceaux. Tout en remuant, saupoudrez de farine que vous laissez cuire avec le poulet durant deux minutes.

Toujours en remuant, ajoutez peu à peu

2 jaunes d'œufs
8 cuillers à soupe de crème fraîche

l'eau bouillante, le persil et l'oignon. Portez à ébullition, couvrez la casserole et laissez mijoter durant quarante-cinq minutes. Prenez un bol et mélangez les jaunes d'œufs avec la crème fraîche et un peu de jus. Retirez la casserole du feu et mélangez les jaunes d'œufs avec le poulet. Servez dans un plat très chaud.

45. **Pollo salteado** (Espagne)

1 poulet à rôtir de 1 kg
2 cuillers à dessert de purée de tomates
2 gousses d'ail
8 petites carottes
2 dl de vin blanc ou rouge
200 g de beurre
persil haché
sel et poivre

Découpez le poulet en quatre morceaux, enduisez-les de sel et de poivre et faites dorer dans le beurre. Ajoutez ensuite l'ail râpé, le persil et les carottes. Mélangez la purée de tomates au vin et ajoutez-la au poulet. Laissez mijoter durant quinze minutes, le couvercle sur la casserole. Ajoutez au besoin un peu d'eau ou du bouillon. Servez avec des pommes de terre nouvelles et des petits pois.

46. **Paella Valenciana au riz** (Espagne)

1 poulet à rôtir de 1,500 kg
12 moules
8 grosses crevettes
1 boîte de cœurs d'artichaut
1 petite boîte de purée de tomates
1 petite boîte de petits pois
1 l d'eau
0,500 kg de riz
1 petite boîte de piments
1 cuiller à soupe de safran
2,5 dl d'huile d'olive
2 cuillers à café de sel
2 gousses d'ail finement hachées

Découpez le poulet en huit morceaux et enduisez-les d'une cuiller à café de sel.
Faites chauffer l'huile. Ajoutez l'ail et le poulet. Faites dorer le poulet à petit feu. Ajoutez ensuite le riz et laissez cuire durant quinze minutes, jusqu'à ce que le riz soit doré. Versez ensuite un litre d'eau bouillante, dans lequel vous aurez dissous le safran, la purée de tomates ainsi que les moules bien nettoyées. Faites cuire à petit feu. Après quinze minutes, vous ajoutez les cœurs d'artichaut et les pois. Laissez encore mijoter durant dix minutes, jusqu'à ce que l'eau se soit évaporée.

47. **Poulet au paprika** (Hongrie)

1 poularde de 2 kg
sel et poivre
2 cuillers à soupe de farine
2 cuillers à soupe de paprika
2 gros oignons finement hachés
2 cuillers à soupe de purée de tomates
2 gousses d'ail hachées
50 g de beurre
1,25 dl d'eau

Découpez la poularde en morceaux que vous enduisez de sel et de poivre et saupoudrez-les de farine. Rissolez l'ail et l'oignon dans le beurre durant cinq minutes. Ajoutez ensuite les morceaux de poularde et faites-les bien dorer de tous les côtés. Ajoutez la purée de tomates, le paprika et l'eau. Couvrez la casserole et laissez étuver durant deux heures environ, jusqu'à ce que la poularde soit tendre.

48. **Poulet Poyarski** (Russie)

1 kg de poulet
4 cuillers à soupe de beurre
4 tranches de pain blanc sans croûtes
0,250 l de lait
4 cuillers à soupe de chapelure
sel et poivre

Désossez le poulet. Faites tremper le pain dans le lait et comprimez-le pour en extraire le liquide. Passez le poulet et le pain dans le hachoir à viande. Ajoutez à ce hachis une cuiller à soupe de beurre, du sel et du poivre. Façonnez des boulettes plates, roulez-les dans la chapelure et faites-les dorer des deux côtés dans le reste du beurre, ce qui demande environ cinq minutes. Couvrez la casserole et laissez cuire durant cinq minutes.

Servez en même temps une sauce au beurre ou une sauce aux champignons.

1. Coq au vin

2. Poulet gracé

49. **Poulet à la Kiev** (Russie)

1 poitrine de poulet désossée
250 g de beurre
1 œuf
60 g de champignons
1 citron
0,250 l d'huile de table
chapelure
poivre de Cayenne
1 cuiller à café de sel

Découpez chaque moitié de la poitrine en deux morceaux dans le sens de la longueur, de façon à obtenir quatre longues tranches. Aplatissez-les. Mettez sur chaque tranche une noix de beurre, des champignons hachés, du sel et du poivre de Cayenne. Roulez les filets et attachez-les à l'aide de petits bâtonnets. Passez-les dans l'œuf battu et dans la chapelure et faites-les cuire dans le restant de beurre et dans l'huile, jusqu'à ce qu'ils soient dorés.
Servez avec des rondelles de citron.

50. **Poulet caucasien Chakbobili** (Russie)

1 kg de poulet
2 à 3 cuillers à soupe d'huile de table
2 oignons
1 feuille de laurier
2 cuillers à soupe de purée de tomates
1 cuiller à soupe de vinaigre
1,5 dl de bouillon
sel et poivre
250 g de tomates

Découpez le poulet en quatre morceaux que vous faites revenir dans l'huile bouillante. Ajoutez les oignons hachés, le laurier, la purée de tomates, le vinaigre, le bouillon, le sel et le poivre.
Couvrez la casserole et laissez mijoter durant une heure et demie ou moins longtemps, s'ils sont plus vite tendres.

Quinze minutes avant la fin de la cuisson, vous ajoutez les tomates pelées, découpées en quatre. Garnissez de persil finement haché et servez avec du riz bien sec, saupoudré de paprika.

51. **Poulet à la crème sure** (Russie)

1 poulet à rôtir d'environ 1,500 kg
125 g de champignons
30 g d'oignons hachés
2,5 dl de crème sure
un peu de lait
un peu de farine mélangée avec du sel et du poivre

Découpez le poulet en morceaux, passez-les dans le lait, ensuite dans la farine et faites-les dorer dans le beurre. Mettez le poulet dans un plat allant au feu. Rissolez ensuite les champignons et les oignons dans le reste du beurre. Ajoutez-y exactement 2,5 dl de crème sure, puis, mettez le plat avec le poulet dans un four moyen durant cinquante-cinq minutes, jusqu'à ce que le poulet soit tendre.

52. **Poulet au marsala** (Italie)

1 poulet à rôtir d'environ 1,500 kg
120 g de beurre
1 oignon découpé en rondelles
1 dl d'eau
1,5 dl de marsala
sel et poivre

Découpez le poulet en morceaux, enduisez-les de sel et de poivre et faites-les brunir sur un grand feu dans le beurre très chaud; cela prendra environ cinq minutes. Ajoutez les rondelles d'oignon et laissez encore cuire durant deux minutes. Diminuez la température, ajoutez l'eau et faites mijoter, la casserole couverte, durant vingt minutes ou plus, jusqu'à ce que le poulet soit tendre. Ajoutez ensuite le marsala et laissez encore mijoter durant dix minutes.
Servez très chaud.

53. **Poulet au romarin** (Italie)
Pollo con rosamarina

1 poulet à rôtir d'environ 1,500 kg
3 cuillers à soupe d'huile d'olive
1 cuiller à soupe de beurre
1 cuiller à café de romarin
2 gousses d'ail
1 dl d'eau
sel et poivre

Découpez le poulet en morceaux que vous enduisez de sel et de poivre. Faites fondre le beurre, ajoutez l'huile et l'ail. Laissez bien chauffer et faites dorer les morceaux de tout côté, ce qui prend environ dix minutes. Saupoudrez de romarin et ajoutez ensuite un peu d'eau. Couvrez la casserole et laissez mijoter durant vingt-cinq minutes, jusqu'à ce que le poulet soit tendre.
Servez très chaud.

54. **Poulet à la marjolaine** (Italie)
Pollo oreganato

1 poulet d'environ 1,500 kg
1 cuiller à café de persil haché
2 cuillers à café de marjolaine
4 cuillers à soupe d'huile d'olive
1 gousse d'ail finement hachée

Découpez le poulet en quatre morceaux et enduisez-les de sel et de poivre. Mélangez l'huile, la marjolaine, le jus de citron, l'ail et le persil. Enduisez-en le poulet. Mettez celui-ci dans le plat à rôtir sur une grille et laissez-le brunir dans le four très chaud en vingt minutes environ. Enduisez-le du mélange précédent, pour éviter qu'il ne se dessèche. Lorsque le poulet est à point, vous l'arrosez du reste du mélange.

sel et poivre
3 cuillers à soupe de citron

Servez très chaud.

55. **Poulet chasseur** (Italie)
Pollo à la cacciatora

1 poulet de 2 kg
4 petits oignons
5 cuillers à soupe d'huile d'olive
60 g de farine
1 gousse d'ail finement hachée
6 tomates moyennes
100 g de champignons découpés
1 grand poivron vert
sel et poivre

Découpez le poulet en morceaux et roulez-les dans la farine à laquelle vous aurez ajouté du sel et du poivre. Faites brunir les morceaux dans l'huile d'olive en dix minutes environ.
Ajoutez ensuite les oignons, l'ail, les tomates et le poivron découpé en longues lanières. Couvrez la casserole et laissez mijoter durant quarante minutes. Ajoutez ensuite les champignons et faites encore cuire durant quinze minutes.
Servez avec du spaghetti.

56. **Poulet à l'étouffée** (Italie)
Pollo in Umido

1 poulet à rôtir de 2 kg
2 oignons découpés
1 tasse de tomates
4 cuillers à soupe d'huile d'olive
1 cuiller à café de marjolaine
0,500 l d'eau bouillante
1 tasse de petits pois frais ou congelés
1 cuiller à soupe de persil
1 tasse de pommes de terre

Découpez le poulet en morceaux et laissez-les dorer en dix minutes dans l'huile d'olive. Saupoudrez de sel et de poivre. Ajoutez les oignons et faites encore cuire durant cinq minutes. Ajoutez ensuite le persil, la marjolaine, les tomates coupées et un quart de litre d'eau bouillante. Couvrez la casserole et laissez mijoter durant trente minutes.

Ajoutez ensuite les pommes de terre découpées en petits dés ainsi que les petits pois. Laissez mijoter jusqu'à ce que les pommes de terre soient cuites; en cas de besoin, ajoutez le reste d'eau bouillante, afin qu'il y ait assez de sauce.

57. **Poulet farci** (Italie)
Pollo Imbottito

1 poulet à rôtir de 2 à 2,500 kg
1 cuiller à soupe d'huile d'olive
125 à 150 g de beurre
sel et poivre

pour la farce:
1/2 tasse de riz cuit
1/2 tasse de miettes de pain
1 œuf
2 tranches de jambon cru
2 cuillers à soupe d'huile d'olive
1/4 de cuiller à café de marjolaine
1 gousse d'ail finement hachée
2 cuillers à café de persil
3 cuillers à soupe de fromage fait râpé
sel et poivre

Enduisez le poulet d'une cuiller à soupe d'huile, de la moitié du beurre et ensuite frottez-le de sel et de poivre. Mélangez tous les ingrédients destinés à la farce, ajoutez-y au besoin une cuiller à soupe de lait, si la masse s'avère trop sèche.

Garnissez de farce l'intérieur du poulet et fermez-le, soit en le cousant soit en y enfonçant des brochettes. Mettez le poulet dans le plat à rôtir avec le reste du beurre et faites-le brunir de tous les côtés dans un four très chaud (250 °C). Si le poulet devient trop sec, ajoutez 0,75 dl d'eau chaude. Après trente minutes, abaissez la température jusqu'à 180 °C.

Arrosez de temps à autre et laissez cuire durant une heure environ, jusqu'à ce que le poulet soit tendre.

58. **Poulet farci** (Albanie)
Pule Medrop

1 poulet de 1,500 à 2 kg
35 g de beurre
2 tasses de pain émietté
80 g de raisins secs
1/4 de cuiller à café de poivre
2 cuillers à soupe de noisettes pilées
2 cuillers à soupe d'amandes pilées
2 cuillers à soupe de noix pilées
55 g de sucre
1,25 dl de bouillon
2 cuillers à café de sel

Faites rissoler les miettes de pain durant cinq minutes dans quatre cuillers à soupe de beurre; remuez de temps en temps. Ajoutez les raisins, les noix, le sucre et le bouillon. Mélangez bien le tout et ajoutez au besoin encore un peu de bouillon. Saupoudrez de sel et de poivre l'intérieur et l'extérieur du poulet. Remplissez l'intérieur avec le mélange de miettes de pain et fermez à l'aide de brochettes ou de fil. Enduisez encore le poulet avec le reste du beurre et mettez-le au four à une température de 175 °C. Après une heure, vous ajoutez 1,25 dl d'eau chaude, ce qui vous permettra d'arroser fréquemment le poulet durant une heure et demie de cuisson.

59. **Poulet à l'étouffée** (Bulgarie)
Pila Yahnia

1 poulet de 2 kg
125 g de beurre ou de margarine
3 oignons hachés
3 cuillers à café de sel
1 cuiller à café de paprika
2 cuillers à soupe de farine
2 cuillers à soupe de purée de tomates
3,75 dl d'eau
0,500 kg de châtaignes pelées

6 personnes

Découpez le poulet en morceaux que vous faites brunir dans le beurre. Ajoutez ensuite les oignons. Couvrez la casserole et laissez cuire sur un feu moyen jusqu'à ce que les oignons commencent à prendre couleur. Ajoutez alors sel, paprika et farine.
Mélangez bien le tout. Incorporez-y ensuite la purée de tomates allongée d'eau. Ajoutez alors les châtaignes, couvrez la casserole et laissez cuire à petit feu durant environ deux heures. Remuez de temps en temps et ajoutez éventuellement un peu d'eau, si vous constatez qu'il y a trop peu de sauce.
Servez avec de la purée de pommes de terre ou du riz.

60. **Poulet à l'étouffée** (Israël)

2 kg de morceaux de poulet
1 tasse d'oignons hachés
4 cuillers à soupe d'huile d'olive
2 cuillers à café de sel
1/4 de cuiller à café de poivre
1 cuiller à café de paprika
1/4 de cuiller à café d'ail en poudre
2 cuillers à café de farine
0,500 l d'eau bouillante

Faites brunir les morceaux de poulet dans le beurre, avec les oignons. Saupoudrez-les de sel, de poivre, de paprika, d'ail et de farine. Ajoutez l'eau bouillante et couvrez la casserole. Laissez cuire durant deux heures environ, jusqu'à ce que le poulet soit à point.

61. **Poulet farci rôti** (Israël)

1 poularde d'environ 2,500 kg
2 tasses de purée de pommes de terre

Mélangez la purée avec le beurre fondu, les oignons, une cuiller à café de sel et un quart de cuiller à café de poivre. Garnissez-en la poularde et fermez l'ouverture soit en la cou-

2 cuillers à soupe d'huile d'olive
1/2 tasse d'oignons rissolés
3 cuillers à café de sel
1/2 cuiller à café de poivre
1/2 cuiller à café de gingembre
1,25 dl d'eau bouillante

sant soit avec des brochettes. Saupoudrez l'extérieur du sel restant, de poivre et de gingembre. Mettez la poularde au four à une température de 210 °C. Faites-la brunir en quarante-cinq minutes. Ajoutez alors l'eau bouillante et abaissez la température jusqu'à 175 °C.
Faites encore cuire durant environ une heure et demie, jusqu'à ce que la chair soit tendre. Arrosez de temps à autre.

62. **Poulet du roi David** (Israël)

150 g de champignons découpés
0,500 kg de poulet bouilli
1/2 poivron ou piment rouge
4 cuillers à soupe d'huile d'olive
3 cuillers à soupe de farine
1 cuiller à soupe de curry
5 dl de lait
2 jaunes d'œufs battus
1 petit poivron vert
sel et poivre

Faites revenir lentement, dans le beurre, les champignons et le poivron rouge. En remuant, ajoutez-y de la farine et du curry. Incorporez ensuite le lait, peu à peu, en remuant à chaque fois pour former une sauce bien lisse. Mélangez un peu de sauce aux jaunes d'œufs battus et ajoutez ce mélange à la sauce. Ensuite les morceaux de poulet ainsi que le poivron vert.
Servez avec du riz, dans lequel vous aurez cuit 100 g de raisins. Garnissez d'éclats d'amandes.

63. **Poulet rôti aux airelles** (Israël)

2 poulets à rôtir d'environ 0,800 kg
2 1/2 cuillers à café de sel
1/4 de cuiller à café de poivre
1 1/2 cuiller à café de levure en poudre
175 g de farine
1 œuf
1,25 dl d'eau
friture
2,5 dl de sauce aux airelles

Découpez les poulets en morceaux, saupoudrez-les de sel et de poivre, puis de trois cuillers à soupe de farine. Passez le reste de la farine, le sel et la levure et versez le tout dans un bol. Confectionnez une pâte en ajoutant un œuf et de l'eau. Plongez-y les morceaux de poulet et faites-les brunir dans la friture. Laissez-les égoutter et mettez-les dans un plat allant au feu et pourvu d'un couvercle. Placez ensuite le plat durant trente minutes dans le four à une température de 175 °C, sans couvercle durant les dix dernières minutes. Mélangez la sauce aux

1,25 dl de compote de pommes

airelles avec la compote et réchauffez ce mélange. Servez cette sauce avec le poulet. Une purée de pommes de terre complète très bien ce menu.

64. **Poulet à l'étouffée au lait battu** (Etats-Unis)

1 poulet à rôtir d'environ 1,750 kg
0,500 l de lait battu
1/2 citron
6 cuillers à soupe de farine
2,5 dl de margarine fondue ou d'huile
sel et poivre

Découpez le poulet en morceaux que vous enduisez de jus de citron. Passez les morceaux dans un mélange de trois cuillers à soupe de farine, de sel et de poivre. Trempez-les dans le lait battu et passez-les à nouveau dans la farine. Faites dorer le poulet dans l'huile. Couvrez la casserole et laissez mijoter jusqu'à ce que le poulet soit bien tendre. Retirez les morceaux de la casserole et gardez-les au chaud dans un plat allant au feu. Saupoudrez trois cuillers à soupe de farine dans la casserole et ajoutez, en remuant, le reste du lait battu. Lorsque la sauce est épaisse, vous la versez sur les morceaux de poulet.

65. **Poulet glacé** (Etats-Unis) (photo 2)

1 poulet de 1,250 kg
1/2 tasse de farine
2 cuillers à café de sel
1/2 cuiller à café d'aromates
1 pot de gelée de groseille
1,5 dl de jus d'oange
3 cuillers à soupe de beurre ou de margarine

Découpez le poulet en morceaux et passez-les dans la farine à laquelle vous aurez ajouté du sel et des aromates.
Faites brunir lentement dans le beurre, couvrez la casserole et laissez mijoter durant vingt à vingt-cinq minutes. Mélangez-y ensuite la gelée de groseille et le jus d'orange, de façon que chaque morceau en soit recouvert. Laissez encore cuire durant trois à quatre minutes.
Servez avec des frites.

66. **Poulet Maryland** (Etats-Unis)

6 tranches épaisses de bacon

Découpez le poulet en morceaux et passez-les dans la farine, dans le jaune d'œuf et

30 g de beurre
1 poulet à rôtir d'environ 1,250 kg
1 jaune d'œuf battu
4 cuillers à soupe de chapelure
2 cuillers à soupe de farine assaisonnée de sel et de poivre

dans la chapelure. Faites-les cuire durant trente minutes dans le beurre, jusqu'à ce qu'ils soient dorés et croquants à l'extérieur, cuits et tendres à l'intérieur. Grillez les tranches de bacon. Servez les morceaux de poulet sur une tranche de bacon dans un plat chaud. Servez en même temps des pommes de terre rissolées et de la salade.

67. **Poulet californien** (Etats-Unis)

1,750 kg de morceaux de poulet
3 cuillers à soupe de farine
125 g de margarine
4 dl de jus d'orange
1 cuiller à café de sel
1 cuiller à soupe d'oignon finement haché
sel et poivre
nouilles
morceaux d'orange

Passez le poulet dans la farine assaisonnée de sel et de poivre. Faites-le brunir dans la margarine. Ajoutez le jus d'orange, le sel et l'oignon. Couvrez la casserole et laissez mijoter.
Servez avec des nouilles au beurre et garnissez de morceaux d'orange grillés.

68. **Poulet tetrazini** (Etats-Unis)

1 poule bouillie de 3 kg
le bouillon de poule
1 poivron haché en gros morceaux
1 gros oignon haché
2 cuillers à soupe de farine
1/4 de tasse de sherry
2 cuillers à soupe de beurre ou de margarine
1 1/2 tasse de champignons découpés
1 1/2 tasse de lait

Ce plat convient parfaitement pour un souper. Désossez la poule et découpez la chair en petits dés. Dégraissez le bouillon refroidi. Faites revenir l'oignon, le poivre et les champignons. Ajoutez-y la poule, le poivron et le piment et retirez la casserole du feu.
Préparez une sauce en faisant cuire dans deux cuillers à soupe de beurre, la farine avec du sel et du poivre. En remuant, ajoutez le lait pour obtenir une sauce épaisse. Ajoutez le sherry. Mélangez la sauce au poulet. Entre-temps, faites cuire le spaghetti dans le bouillon, durant dix minutes environ. Ajoutez au besoin un peu d'eau. Egouttez les spaghetti et mélangez-les à la poule;

1 cuiller à soupe de piment en boîte
0,500 kg de spaghetti
1/2 tasse de parmesan râpé
1 cuiller à café de sel
poivre

8 personnes

ajoutez-y la sauce et du fromage râpé. Mettez le tout dans un plat allant au feu et graissé au préalable, et saupoudrez de beaucoup de fromage. Mettez le plat dans le four durant vingt à trente minutes, à une température de 200 °C.

69. **Poulet glacé aux airelles** (Etats-Unis)

2 poulets à rôtir d'environ 1 kg
150 g de beurre
sel et poivre
compote d'airelles

Découpez les poulets en deux morceaux, saupoudrez-les de sel et de poivre et mettez-les dans le plat à rôtir, la peau vers le bas. Arrosez les poulets de beurre fondu, glissez le plat au four à une température de 190 °C. Faites cuire de quinze à vingt minutes, ensuite retournez les morceaux, de façon qu'ils aient la peau tournée vers le haut. Laissez encore cuire durant quinze à vingt minutes, jusqu'à ce que la peau soit dorée. Enduisez alors les morceaux de compote d'airelles et faites-les encore cuire durant quatre à cinq minutes, pour permettre aux airelles de se caraméliser.

70. **Poulet au barbecue** (Etats-Unis)

1 poulet d'environ 1 kg
6 cuillers à soupe d'huile de table
3 cuillers à soupe de sauce anglaise
2 cuillers à soupe de vinaigre
2 cuillers à soupe de sucre
1,25 dl de ketchup
quelques gouttes de tabasco
1 gousse d'ail râpée
1 oignon finement haché

Découpez le poulet en morceaux et faites-les brunir dans l'huile. Mélangez la sauce anglaise avec le vinaigre, le sucre, le ketchup, le tabasco, l'ail et les oignons et ajoutez le tout au poulet. Couvrez la casserole et laissez mijoter durant une heure environ. Servez avec des pommes frites ou du riz.

71. **Poulet aux mandarines** (Etats-Unis)

1 poulet à rôtir d'environ 1,500 kg
75 g de beurre
1 boîte de mandarines
le jus d'un citron et d'une orange
sel et poivre
1 dl de bouillon
un rien de curaçao-orange
1 cuiller à café de zeste d'orange râpé
éventuellement 1 cuiller à soupe de fécule de maïs (maïzena)

Enduisez le poulet de sel et de poivre et mettez la moitié du zeste d'orange à l'intérieur du poulet. Faites cuire le poulet dans le beurre. Découpez-le en morceaux que vous gardez au chaud dans un plat. Mettez à présent dans la casserole, le jus des mandarines, dix morceaux de mandarine, le jus de citron et le jus d'orange, une demi-cuiller à café de zeste d'orange râpé et le bouillon. Au besoin, épaississez la sauce en ajoutant une cuiller à soupe de fécule de maïs allongée d'eau. Assaisonnez avec du sel, du poivre, un soupcon de curaçao. Versez la sauce sur les morceaux de poulet, que vous garnissez ensuite en y insérant les restes des mandarines.
Servez avec des frites ou du riz.

72. **Poulet à la crème d'amande** (Canada)

1 poulet d'environ 1,500 kg
60 g de farine
sel et poivre
3 cuillers à soupe d'huile de table
2 dl d'eau bouillante
0,125 l de crème
50 g d'amandes pilées (salées)
2 cuillers à café de sauce au raifort (se vend en petite bouteille)

Découpez le poulet en morceaux que vous roulez dans la farine additionnée de sel et de poivre. Faites brunir les morceaux dans l'huile. Ajoutez ensuite l'eau bouillante. Couvrez la casserole et faites cuire durant quarante minutes. Ajoutez de l'eau pour obtenir un demi-litre de liquide et incorporez ensuite la crème. Allongez la farine avec un peu d'eau et remuez pour la rendre lisse. Toujours en remuant, versez la farine dans la casserole et continuez la cuisson, jusqu'à ce que la sauce s'épaississe. Ajoutez pour terminer, les amandes pilées, la sauce au raifort et éventuellement encore un peu de sel et de poivre.
Servez avec du maïs.

73. **Poulet croquant** (Etats-Unis)

2 poulets à rôtir de 1,750 kg
1 tasse de chapelure
2 cuillers à café de sel
1/4 de cuiller à café de poivre
1/2 cuiller à café d'aromates
1/2 cuiller à café de vetsin
friture

Désossez les poulets et découpez la chair en morceaux d'environ 5 cm. Conservez les os, la peau, les foies et les estomacs, pour en préparer un bouillon. Versez la chapelure, le sel, le poivre, les aromates et le vetsin dans un sac en papier; mettez-y les morceaux de poulet et secouez. Faites-les cuire dans la friture et laissez égoutter sur du papier parcheminé.
Servez avec de la purée et des pois.

74. **Poulet de la Nouvelle-Orléans** (Etats-Unis)

1 poulet à rôtir d'environ 1,500 kg
1 œuf battu
1,5 dl de lait
friture
sel et poivre

Découpez le poulet en huit morceaux. Mélangez l'œuf battu avec le lait, du sel et du poivre. Plongez-y les morceaux de poulet que vous passez ensuite dans un peu de farine. Faites-les dorer dans la friture. Laissez égoutter sur du papier brun.
Servez avec des frites et de la salade.

75. **Poulet mexicain**

1 poulet d'environ 1,500 kg
4 cuillers à soupe d'huile de table
2 cuillers à soupe de farine
1 gros oignon haché fin
1 cuiller à café de sel
2 à 3 piments épépinés ou 1 cuiller à café de poivre de Cayenne
poivre
10 à 12 petites tomates
1 tasse de raisins
1 cuiller à soupe de persil haché

Découpez le poulet en petits morceaux et roulez-les dans la farine additionnée de sel et de poivre. Faites dorer le poulet dans l'huile et retirez-le de la casserole. Faites revenir l'oignon dans l'huile et ajoutez ensuite les tomates pelées, les raisins lavés, le persil, le céleri, les piments ou le poivre de Cayenne ainsi que les morceaux de poulet. Versez alors de l'eau ou du bouillon, de façon à recouvrir presque entièrement le poulet. Couvrez et laissez mijoter durant une heure et demie environ, jusqu'à ce que le poulet soit tendre.

1 cuiller à soupe de céleri finement haché
eau ou bouillon

76. **Poulet portoricain au riz**

1 poulet d'environ 1,500 kg
0,5 dl d'huile d'olive
0,500 kg de riz
persil
2 cuillers à café de sel
1/3 de tasse de câpres
1/2 tasse d'olives
2 gousses d'ail
1 piment
1 l d'eau

Découpez le poulet en douze morceaux, saupoudrez-les de sel et faites-les dorer dans l'huile avec le persil finement haché. Ajoutez ensuite le riz cru et faites cuire, jusqu'à ce que le riz soit doré. Ajoutez alors un litre d'eau et laissez bouillir sur un petit feu, le couvercle sur la casserole. Il faut que le riz soit tendre, ni plus ni moins. Vous ajoutez ensuite les câpres, l'ail râpé et les olives. Garnissez de fines lanières de piment et servez bouillant.

77. **Poulet au curry 1** (recette originale)

1 poulet d'environ 1,500 kg
2 gros oignons
4 gousses d'ail
2 1/2 cuillers à soupe de curry indien
120 g de beurre
2 feuilles de laurier
1 petit bâton de cannelle
noix de cardamome
1,5 dl de yaourt
sel

Découpez le poulet en morceaux et un oignon en rondelles. Râpez l'autre oignon, ainsi que l'ail et formez-en une pâte; ajoutez-y le curry. Faites revenir dans le beurre l'oignon découpé en rondelles. Diminuez le feu et ajoutez le laurier, la cannelle et le poivre de Guinée. Laissez rissoler durant une minute. Ajoutez alors la pâte au curry, ainsi que le poulet et le sel. Faites cuire durant trois minutes. Ajoutez ensuite le yaourt. Portez le tout à ébullition et mettez le réchaud sur un petit feu. Couvrez la casserole et laissez mijoter jusqu'à ce que le poulet soit presque à point. Enlevez le couvercle et laissez rôtir le poulet jusqu'à ce qu'il prenne une belle coloration.

78. **Poulet au curry 2** (recette originale)

1 poule
2 oignons

Découpez la poule en morceaux et faites-la cuire durant une heure dans un litre d'eau,

120 g de beurre
2 cuillers à dessert de curry
3 gouses d'ail râpées
0,500 l de lait de coco
0,5 dl de jus de tamarin
2 cuillers à café de sel
1 l d'eau

conservez le bouillon. Faites revenir les oignons dans le beurre et assaisonnez ensuite au curry et à l'ail. Rissolez durant une à deux minutes. Ajoutez alors les morceaux de poule, le lait de coco, le jus de tamarin, le sel et le bouillon, de façon à couvrir la poule. Laissez mijoter jusqu'à ce que la graisse monte à la surface. Cela prend environ deux heures.

79. **Poulet à l'étouffée aux amandes** (Chine)

200 g de chair de poulet découpée en morceaux
100 g de jets de bambou découpés
200 g d'oignons découpés
150 g d'amandes grillées
huile
sel et poivre
bouillon de poule ou de veau
1 cuiller à café de fécule de maïs
quelques gouttes d'huile de sésame
1 cuiller à café de sherry
50 g de champignons découpés
1 cuiller à café de sucre

Graissez une poêle avec un peu d'huile et laissez-y cuire à grand feu durant une minute, les jets de bambou, les oignons et les champignons. Ajoutez selon votre goût du sucre, du sel et du poivre. Ensuite un peu de bouillon, de façon à couvrir la masse. Ajoutez ensuite le poulet, de la fécule de maïs allongée, l'huile de sésame et le sherry; faites cuire durant une minute. Ajoutez-y les amandes et laissez cuire durant une minute. Servez avec du riz bien sec.

80. **Poulet à l'étouffée aux pois** (Chine)

Les mêmes ingrédients que ceux de la recette précédente, mais remplacez les amandes par des pois.

81. **Poulet aux champignons** (Chine)

1 blanc de poulet
200 g de champignons découpés

Découpez le poulet en fines lanières et mélangez-les à la fécule de maïs, avec un peu de sel, du poivre et du cognac. Faites

200 g de chou de Milan découpé
1 cuiller à soupe de fécule de maïs
1 cuiller à dessert de cognac
1 cuiller à dessert de sauce au soja
3 ou 4 petits oignons
sel et poivre

revenir les champignons durant une minute dans l'huile bouillante. Ajoutez ensuite le poulet et le chou de Milan et faites cuire durant trois minutes, de façon que les morceaux de poulet soient tous devenus blancs. Ajoutez la sauce au soja et les oignons hachés.
Servez avec du riz blanc.

82. **Poulet aux marrons** (Chine)

1 poulet d'environ 1 kg
0,500 kg de marrons épluchés
1 cuiller à soupe de fécule de maïs
poivre et sel
1 cuiller à soupe d'huile de table
2 cuillers à soupe de sauce au soja
petits oignons
0,500 l d'eau

Découpez le poulet en morceaux et faites-le cuire durant une heure dans de l'eau. Ajoutez les marrons, l'huile et la sauce au soja et laissez mijoter durant quarante-cinq minutes. Epaississez la sauce en ajoutant de la fécule de maïs allongée. Saupoudrez de sel et de poivre ainsi que de petits oignons hachés.
Servez avec du riz bien sec.

83. **Poulet aigre-doux à l'ananas** (Chine)

1,500 kg de chair de poulet
225 g d'ananas
2 cuillers à café de sel
1 cuiller à café de sucre
100 g de sucre (pour la sauce)
1,25 dl d'eau
1,25 dl de vinaigre
1 cuiller à dessert d'huile de table
1 cuiller à dessert de sauce au soja
1 cuiller à dessert de fécule de maïs

Découpez le poulet en morceaux que vous enduisez de sel, de sucre et de sauce au soja. Roulez les morceaux dans la farine, puis dans l'œuf battu et faites-les frire dans la graisse durant deux minutes et demie à trois minutes. Laissez égoutter et gardez au chaud. Chauffez l'huile dans un poêlon, ajoutez de l'eau, du vinaigre et ce qui vous reste de sel et de sucre; portez à ébullition. Ajoutez ensuite les morceaux d'ananas et la fécule de maïs allongée. Retirez le poêlon du feu et ajoutez le poulet. Servez immédiatement.

3 cuillers à soupe de farine
2 œus battus
friture

84. **Poulet avec sauce aigre-douce** (Chine)

0,500 kg de chair de poulet crue
1 œuf
fécule de maïs
1 cuiller à soupe d'huile
sel
100 g de pickles chinois ou 2 tranches d'ananas
2 cuillers à soupe de vinaigre
1 1/2 cuiller à soupe de sucre
1/2 cuiller à soupe de ketchup
1 cuiller à dessert de fécule de maïs
1 1/2 cuiller à café de sauce au soja
1 cuiller à café de cognac
60 g de petits oignons finement découpés
une pincée de gingembre en poudre
huile
2,5 dl d'eau

Découpez le poulet en petits dés, saupoudrez de sel et trempez ensuite les morceaux dans l'œuf battu et dans la fécule de maïs. Chauffez l'huile et faites-y dorer les morceaux de poulet. Préparez votre sauce : hachez finement les pickles ou l'ananas, rissolez-les dans un peu d'huile et saupoudrez-les ensuite de gingembre. Mélangez le vinaigre, le sucre, le ketchup, une cuiller à dessert de fécule de maïs, une cuiller et demie à café de sauce au soja et le cognac.
En remuant, versez l'eau et ajoutez le mélange aux pickles. Laissez mijoter durant cinq minutes, sans cesser de tourner.
A la dernière minute, incorporez les petits oignons et versez la sauce sur le poulet.
Servez avec du riz.

85. **Poulet aux tomates** (Chine)

0,750 kg de chair de poulet
0,750 kg de tomates
1 1/2 cuiller à café de sel
2 cuillers à soupe d'huile de table

Découpez le poulet en lanières et faites-les cuire dans l'eau, jusqu'à ce qu'elles soient tendres. Chauffez l'huile et rissolez les tomates, pelées et coupées en quatre. Ajoutez les tomates au poulet. Incorporez ensuite le cognac, le poivre et le sel et laissez mijoter le

1 cuiller à soupe de cognac
poivre
6 dl d'eau

tout durant dix minutes.
Servez avec du riz.

86. **Poulet sublyaki** (Japon)

450 g de chair de poulet crue
2,500 l de bouillon
1 cuiller à café de vetsin
8 cuillers à soupe de soja japonais
2 cuillers à soupe de sherry
6 cuillers à soupe de sucre
200 g d'épinards
150 g de petits oignons finement hachés
200 g de laitue, découpée en lanières
350 g de tahou en petits dés
350 g de champignons en rondelles
4 œufs crus

Ce mets se prête particulièrement bien à une préparation faite à table; pourvu seulement que l'on possède un petit réchaud à alcool et une poêle en cuivre.
Installez le réchaud au milieu de la table et disposez le poulet et tous les légumes sur des plats que vous mettez autour du réchaud. Mélangez le bouillon avec le vetsin, le soja, le sucre et le sherry. Graissez la poêle avec un peu d'huile et faites-y cuire le poulet. Mettez ensuite le poulet d'un côté de la poêle et ajoutez le bouillon, mettez les légumes et le tahou en petits tas dans la poêle, mais veillez à ce qu'ils ne se mélangent pas. Lorsque les légumes sont à point, vous donnez à chaque convive un bol de riz avec un œuf cru. Chacun se sert de poulet et de légumes.
Servez avec du riz bien sec.

87. **Poulet à l'étouffée javanais**
(Indonésie) Ajam smoor djawa

1 poulet de 1,500 kg
jus de citron
2 piments finement découpés
1 oignon finement découpé
2 gousses d'ail
2 cuillers à café de poudre de laos
3 cuillers à soupe de ketchup
2 cuillers à soupe de vinaigre

Découpez le poulet en morceaux, enduisez-les de sel et de poivre ainsi que de jus de citron et faites-les dorer dans trois cuillers à soupe d'huile. Rissolez les aromates découpés ainsi que la poudre de laos dans une cuiller à soupe d'huile. Ajoutez le ketchup, le vinaigre et l'eau aux aromates et ensuite plongez-y le poulet. Faites cuire à petit feu.
Servez avec du riz bien sec.

3. Poulet à la crème d'amande

4. Poulet rôti farci

sel et poivre
4 cuillers à soupe d'huile
1,500 l d'eau

88. **Poulet jaune** (Indonésie)
Ajam koening

1 poulet de 1,500 kg
6 cuillers à soupe d'huile
sel et poivre
santen (lait de coco)
1 feuille de djerouk purut
1 feuille de salam
aromates:
6 kemiries
1 cuiller à dessert de ketoembar
1 cuiller à dessert de poudre de koenjit
2 cuillers à café de poudre de laos
1 petit morceau de tamarin
1 petit morceau de trassi
1 petit morceau de sucre javanais
sel et poivre
2 gousses d'ail
1 oignon

Découpez le poulet en morceaux et enduisez-les de sel et de poivre, faites-les dorer dans quatre cuillers à soupe d'huile. Faites revenir dans un poêlon tous les aromates, râpés et mélangés, dans deux cuillers à soupe d'huile. Ajoutez-y les morceaux de poulet et couvrez le poulet de santen. Ajoutez ensuite les feuilles de djerouk purut et de salam et laissez cuire à petit feu. Il faut que la sauce soit bien épaisse.

89. **Poulet bouilli** (Indonésie)
Soto ajam

1 poule de 2 kg
2 l d'eau
3 petits bouquets de laksa (vermicelle indonésien)
3 œufs durs
1 petite botte de jeunes oignons découpés finement (ou du poireau)
2 cuillers à soupe d'huile

Découpez la poule en morceaux. Râpez les aromates et faites-les revenir dans l'huile. Mettez le tout dans une grande casserole avec la poule et l'eau. Laissez cuire la poule jusqu'à ce qu'elle soit assez tendre. Retirez la chair des os et découpez-la en petits morceaux. Remettez les morceaux dans le bouillon passé au tamis. Ajoutez-y le laksa qui aura trempé entre-temps. Amenez à ébulli-

2 cuillers à soupe d'oignons frits et donc croquants

tion et ajoutez juste avant de servir, les oignons ou le poireau, les oignons frits, ainsi que les œufs découpés en rondelles.
Servez avec du riz et du sambal oelek.

90. **Poulet opor** (Indonésie)
Ajam opor

1 poulet de 1 kg
3 cuillers à soupe d'huile
6 kemiries
2 oignons
2 gousses d'ail
1 cuiller à dessert à ras de ketoembar
1 morceau de trassi
1 morceau de tamarin
1 morceau de sucre javanais
1 cuiller à café de poudre de laos
2 cuillers à café de sel
lait de coco (santen)
1 tige de sereh
2 feuilles de daon salam
2 feuilles de djerouk purut
1 l d'eau

Faites bouillir les morceaux de poulet dans un litre d'eau, mais arrêtez à la mi-cuisson. Râpez les aromates suivants : kemirie, oignons, ail, ketoembar, trassi, tamarin, sucre javanais, poudre de laos, sel. Faites revenir ce mélange dans l'huile. Ajoutez ensuite les morceaux de poulet et couvrez-les de santen. Ajoutez ensuite le sereh, le salam et le djerouk. Laissez cuire à petit feu, jusqu'à ce que le poulet soit à point et que la sauce soit bien épaisse.
Servez avec du riz.

91. **Poulet au soön** (Philippines)

1 poulet d'environ 1,500 kg
1 gros oignon
3 gousses d'ail
8 tomates
4 cuillers à soupe d'huile de table
4 œufs durs
100 g de lard maigre fumé
100 g de soön
1 cuiller à café de gingembre
150 g de champignons

Découpez le poulet en morceaux que vous enduisez de sel et de poivre; faites-les dorer dans l'huile et retirez-les ensuite de la casserole. Faites ensuite revenir dans le reste d'huile, les oignons finement hachés, l'ail finement haché, le gingembre haché, les champignons découpés finement, les tomates pelées et découpées en petits morceaux. Ajoutez-y le poulet. Couvrez la casserole et laissez mijoter jusqu'à ce que le poulet soit bien tendre. Faites tremper le soön dans l'eau froide durant une heure environ, égouttez et ajoutez le soön au poulet. Faites bouil-

1 piment
quelques branches de persil
quelques oignons frits
sel et poivre

lir durant dix minutes, en remuant de temps en temps. Servez très chaud, garni de lanières de lard bien cuit, d'œufs découpés en morceaux, de persil, de lanières de piment et d'oignons frits. Servez avec du riz bien sec.

92. **Poulet hawaiien**

1 poulet d'environ 2 kg
1 grande boîte d'ananas
1 gros oignon finement haché
4 cuillers à soupe d'huile de table
90 g de farine
2 tranches de jambon de 0,5 cm environ
1 avocat
grains de poivre
riz chaud
sel et poivre

4 à 6 personnes

Découpez le poulet en morceaux. Laissez égoutter les ananas et conservez le jus. Faites revenir les oignons dans l'huile, jusqu'à ce qu'ils soient vitreux. Mélangez la farine avec du sel et du poivre et passez-y les morceaux de poulet. Faites brunir le poulet avec les oignons. Ajoutez au jus d'ananas suffisamment d'eau pour obtenir un demi-litre. Versez le jus sur le poulet, ajoutez les grains de poivre, couvrez la casserole et laissez mijoter durant une heure et demie, jusqu'à ce que le poulet soit tendre. Découpez le jambon en cubes et mélangez-le au riz. Faites rissoler les tranches d'ananas dans une cuiller à soupe d'huile. Coupez l'avocat en deux, retirez le noyau et découpez le fruit en tranches. Mettez le riz au milieu d'un grand plat et disposez tout autour le poulet et l'avocat.
Servez la sauce séparément ; au besoin, on peut l'épaissir quelque peu.

93. **Poulet rôti farci** (Angleterre) (photo 4)

1 poulet à rôtir de 1,500 kg
sel et poivre
400 g de pain blanc
2,5 dl de lait
1 œuf
1 cuiller à café de sauge
1 cuiller à soupe de persil haché
une pincée de thym

Saupoudrez de sel et de poivre l'intérieur du poulet. Faites tremper le pain dans le lait et comprimez-le. Ecrasez le pain à l'aide d'une fourchette et mélangez-le avec l'œuf battu, la sauge, le persil et le thym. Remplissez de ce mélange l'intérieur du poulet, mais ne comprimez pas trop. Fermez l'ouverture du poulet. Enduisez celui-ci d'un peu de beurre, de margarine ou de graisse et mettez-le dans le plat à rôtir, la poitrine vers le haut. Cou-

vrez de papier en aluminium.
Glissez le plat dans le four préchauffé à une température de 225 °C. Après dix minutes vous abaissez à 180 °C.
Après une heure, lorsque le poulet est presque cuit, vous retirez le papier d'aluminium et vous saupoudrez d'un peu de sel et de poivre. Laissez encore brunir durant quinze minutes.

Poulet au barbecue

Le barbecue étant devenu très populaire dans notre pays, j'ai cru utile d'ajouter quelques recettes de sauces dont vous pouvez enduire votre poulet. Durant la grillade, il est en effet indispensable d'enduire régulièrement le poulet de sauce; cela se fait à l'aide d'un pinceau. Comptez un demi-poulet par personne. Le poids d'un poulet à rôtir peut varier de 1,250 à 2,500 kg. La durée de cuisson est de vingt-cinq à trente-cinq minutes, selon la grandeur du poulet et la chaleur du feu.

94. **Sauce simple** (2,5 dl)

1/3 de tasse de vinaigre de vin
1/3 de tasse de jus de citron
1/3 de tasse d'huile de table
1 cuiller à café de sauce au soja
sel et poivre

Mettez tous les ingrédients dans un bocal dont le couvercle se visse, fermez le bocal et secouez fermement pour bien mélanger le tout.

95. **Sauce piquante** (0,500 l)

1 oignon finement haché
2 cuillers à soupe d'huile de table
1 gousse d'ail finement hachée
1 cuiller à soupe de poudre de moutarde
1 cuiller à soupe de sauce anglaise
1/2 tasse de vinaigre
1/4 de tasse de sucre brun

Faites revenir l'oignon et l'ail dans l'huile durant cinq minutes environ, sur un petit feu. Ajoutez ensuite le reste des ingrédients. Remuez de temps à autre. Laissez mijoter la sauce durant dix minutes.

1 boîte de purée de tomates
une pincée de poivre de Cayenne
1/2 tasse d'eau

96. **Sauce au roquefort** (3 dl)

1/2 tasse d'huile de table
1/4 de tasse de roquefort granulé
1/2 de tasse de jus de citron
1/2 cuiller à café de sel
1/4 de cuiller à café de poivre
1/4 de cuiller à café de paprika

Mettez tous les ingrédients dans un bocal dont le couvercle se visse, secouez fermement pour bien mélanger le tout. Mettez le pot dans le réfrigérateur, jusqu'à ce que vous ayez besoin de la sauce. Secouez avant l'emploi.

97. **Sauce au vermouth** (2,5 dl)

1/2 tasse d'huile de table
1/2 tasse de vermouth sec
1 cuiller à café de sel
1/8 de cuiller à café de poivre

Mettez tous les ingrédients dans un bocal dont le couvercle se visse et secouez pour bien mélanger le tout. Mettez le pot dans le réfrigérateur. Secouez avant l'emploi.

98. **Sauce Florida** (4 dl)

1/4 de tasse d'huile de table
1/3 de tasse de vinaigre
2/3 de tasse d'orange ou jus de pamplemousse
2 cuillers à soupe de sauce anglaise
1/2 tasse de ketchup
1/4 de tasse d'oignons finement hachés
un rien de tabasco

Mettez tous les ingrédients dans un bocal dont le couvercle se visse et secouez pour bien mélanger le tout. Mettez le pot dans le réfrigérateur. Secouez avant l'emploi.

2 1/2 cuillers à café de sel
1/2 cuiller à café de poivre de Cayenne
1/4 de cuiller à café de marjolaine

99. **Poulet Finistère**

2 poulets de grain de 0,500 à 0,600 kg
1 cuiller à café de thym
1 cuiller à café de marjolaine
1 cuiller à café de sel
poivre
huile de table
moutarde anglaise assaisonnée

Coupez les poulets en deux et enduisez d'huile les deux côtés. Mélangez le thym avec la marjolaine, le sel et le poivre et saupoudrez les poulets de ce mélange. Recouvrez-les ensuite d'une couche épaisse de moutarde. Mettez les poulets sur la grille et grillez-les durant vingt minutes environ jusqu'à ce qu'ils soient cuits.

100. **Poulet grillé** (Indonésie)
Ajam pangang

2 jeunes coqs d'environ 0,700 kg
2 cuillers à soupe de beurre
2 gousses d'ail
3 cuillers à soupe de ketchup doux
le jus d'un citron
sel et poivre

Coupez les coqs en deux et saupoudrez-les de sel et de poivre. Préparez une sauce avec du beurre, de l'ail pressé, du jus de citron et du ketchup. Faites griller les morceaux sur le barbecue ou sur le gril et enduisez-les continuellement de sauce au moyen d'un pinceau. Continuez jusqu'à ce que les oiseaux soient à point. Si vous désirez une sauce plus piquante, il vous suffit d'ajouter du sambal oelek.
Servez avec du riz bien sec.

101. **Poulet « ordinaire »**

1 poulet à rôtir
de 1,200 kg environ
100 g de beurre ou de margarine
sel et poivre

Nettoyez l'intérieur du poulet et séchez-le le mieux possible. Saupoudrez de sel et de poivre l'intérieur du poulet. Faites-le rôtir soit sur le réchaud, soit dans le four.

Sur le réchaud : Faites fondre le beurre dans la casserole et, lorsqu'il est légèrement brun, mettez le poulet sur un feu moyen et laissez cuire durant une heure environ.

Dans le four : Mettez le poulet dans le plat à rôtir, découpez le beurre en fines tranches que vous déposez sur le blanc de poulet. Mettez au besoin une feuille d'aluminium sur le poulet, allumez le four (four électrique à 175 °C, four à gaz en position 3 ou 4). Après une heure, votre poulet doit être cuit et bien brun. Dix minutes avant la fin de la cuisson, retirez la feuille d'aluminium, pour permettre à la peau de croustiller.

Avant de mettre le poulet à rôtir, vous pouvez garnir l'intérieur d'une brindille de thym, de romarin, de basilic ou d'estragon, voire d'une gousse d'ail.

Le poulet est à point lorsqu'on parvient à enfoncer facilement les dents d'une fourchette entre les articulations.

On termine le jus en y ajoutant un peu d'eau, comme d'habitude.

TABLE DES MATIÈRES

Avant-Propos 5

Quelques mots au sujet d'un poulet 7

Les Potages 9

1. Potage à la reine (France) 9
2. Potage mexicain 9
3. Potage de poule au curry (Etats-Unis) 10
4. Potage de maïs avec poulet (Chine) 10
5. Bouillon de poule lié et refroidi (Etats-Unis) 10
6. Bouillon de poule espagnol 11
7. Bouillon de poule moldave 11
8. Bouillon de poule aux boulettes de foie (Israël) 12
9. Bouillon clair Marguerite (Turquie) 12
10. Bouillon de poule japonais 13
11. Bouillon de poule chinois 13

Foies de poulet

12. Amuse-gueule à l'anglaise 14
13. Pâté de foie de poulet à la danoise 14
14. Pâté de foie de poulet à la russe 15
15. Foie de poulet couronné de champignons (Etats-Unis) 15
16. Œufs brouillés aux foies de poulet (France) 16
17. Foies et estomacs de poulet (Inde) 16

Les Salades

18. Salade de foie de poulet (Etats-Unis) 18
19. Salade de poulet à l'américaine (recette de base) 18
20. Salade de poulet à l'ananas 19
21. Salade de poulet aux pommes 19
22. Salade de poulet de luxe 19
23. Salade de poulet à la danoise 20
24. Poulet avec mayonnaise au raifort (Danemark) 20
25. Salade de poulet aux amandes (Israël) 20
26. Salade de poulet au chou-fleur (Etats-Unis) 21
27. Salade de poulet au riz (Etats-Unis) 21
28. Aspic de salade de poulet (Russie) 22
29. Salade de poulet chaude (Etats-Unis) 22

Un peu de tout 24

30. Croquettes de poulet (France) 24
31. Pâté de poulet (Etats-Unis) 24
32. Bisquits de poulet (Russie) 25
33. Soufflé de poulet (France) 25
34. Casserole de poulet (Angleterre) 26
35. Casserole de poulet et de jambon (France) 26

Plats de résistance 27

36. Poulet rôti ambassadrice (France) 27
37. Poulet Marengo (France) 27
38. Coq au vin (France) 28
39. Poulet à la normande (France) 28
40. Poulet à la navarraise (France) 29
41. Poulet farci à la provençale (France) 29
42. Poulet farci aux raisins (France) 30
43. Poulet bonne femme (France) 30
44. Fricassée de poulet (Espagne) 30
45. Pollo salteado (Espagne) 31
46. Paella Valenciana au riz (Espagne) 31
47. Poulet au paprika (Hongrie) 32
48. Poulet Poyarski (Russie) 32
49. Poulet à la Kiev (Russie) 33
50. Poulet caucassien Chakbobili (Russie) 33
51. Poulet à la crème sure (Russie) 33
52. Poulet au marsala (Italie) 34
53. Poulet au romarin (Italie) 34
54. Poulet à la marjolaine (Italie) 34
55. Poulet chasseur (Italie) 35
56. Poulet à l'étouffée (Italie) 35
57. Poulet farci (Italie) 36
58. Poulet farci (Albanie) 36
59. Poulet à l'étouffée (Bulgarie) 37
60. Poulet à l'étouffée (Israël) 37
61. Poulet farci rôti(Israël) 37
62. Poulet du roi David (Israël) 38
63. Poulet rôti aux airelles (Israël) 38
64. Poulet à l'étouffée au lait battu (Etats-Unis) 39
65. Poulet glacé (Etats-Unis) 39
66. Poulet Maryland (Etats-Unis) 39
67. Poulet californien (Etats-Unis) 40
68. Poulet tetrazini (Etats-Unis) 40
69. Poulet glacé aux airelles (Etats-Unis) 41
70. Poulet au barbecue (Etats-Unis) 41
71. Poulet aux mandarines (Etats-Unis) 42
72. Poulet à la crème d'amande (Canada) 42

70499

73. Poulet croquant (Etats-Unis) . . . 43
74. Poulet de la Nouvelle-Orléans (Etats-Unis) . . . 43
75. Poulet mexicain . . . 43
76. Poulet portoricain au riz . . . 44
77. Poulet au curry 1 . . . 44
78. Poulet au curry 2 . . . 44
79. Poulet à l'étouffée aux amandes (Chine) . . . 45
80. Poulet à l'étouffée aux pois (Chine) . . . 45
81. Poulet aux champignons (Chine) . . . 45
82. Poulet aux marrons (Chine) . . . 46
83. Poulet aigre-doux à l'ananas (Chine) . . . 46
84. Poulet avec sauce aigre-douce (Chine) . . . 47
85. Poulet aux tomates (Chine) . . . 47
86. Poulet sublyaki (Japon) . . . 48
87. Poulet à l'étouffée javanais (Indonésie) . . . 48
88. Poulet jaune (Indonésie) . . . 49
89. Poulet bouilli (Indonésie) . . . 49
90. Poulet opor (Indonésie) . . . 50
91. Poulet au soön (Philippines) . . . 50
92. Poulet hawaiien . . . 51
93. Poulet rôti farci (Angleterre) . . . 51

Poulet au barbecue . . . 53

94. Sauce simple . . . 53
95. Sauce piquante . . . 53
96. Sauce au roquefort . . . 54
97. Sauce au vermouth . . . 54
98. Sauce Florida . . . 54
99. Poulet Finistère . . . 55
100. Poulet grillé (Indonésie) . . . 55

101. **Poulet ordinaire** . . . 56